D1636245

JUV DS806 O88 1984t

Écrit par Laurence Ottenheimer
Illustré par Michelle Nikly

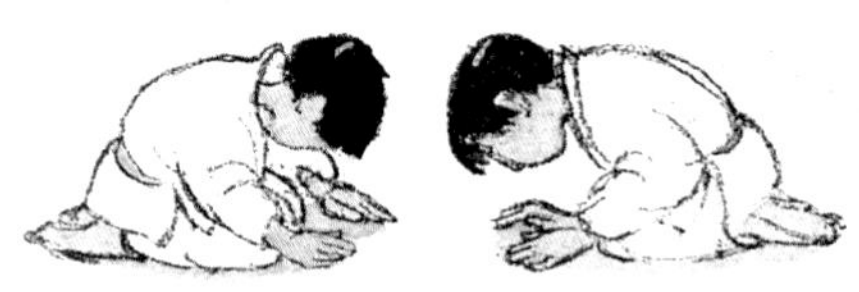

Conseil pédagogique :
Madame Braichet-Moerel, présidente nationale
de l'Association Générale des Instituteurs et Institutrices
des Écoles et Classes Maternelles Publiques.

Conseil éditorial :
Ambassade du Japon en France.
Katsuko Verkhovskoy et Yoshie Shigematsu

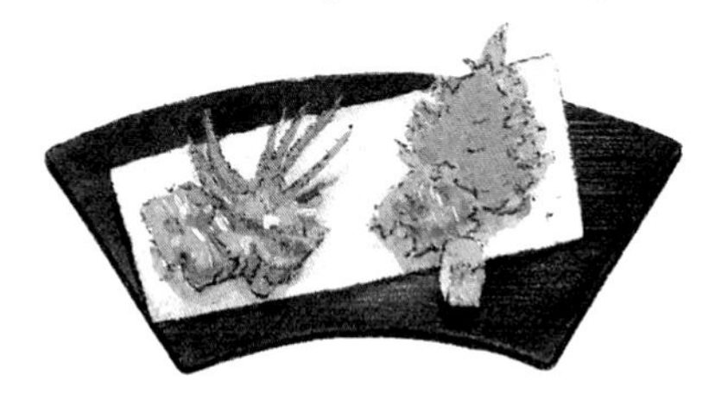

ISBN 2-07-039712-2
© Éditions Gallimard 1984
1er dépôt légal: Novembre 1984. Numéro d'édition: 37972
Dépôt légal: Juin 1986
Imprimé par la Editoriale Libraria en Italie

GALLIMARD JEUNESSE

13.95 4.d.

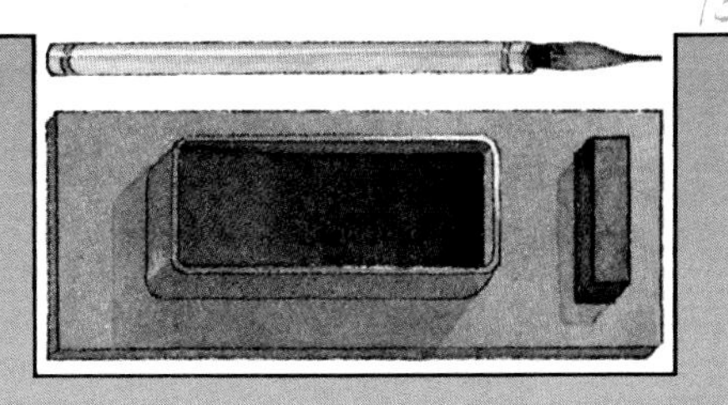

Le Japon des Samouraï et des robots

DECOUVERTE BENJAMIN

Le drapeau japonais est le symbole de l'autre nom donné au Japon : Pays du Soleil Levant.

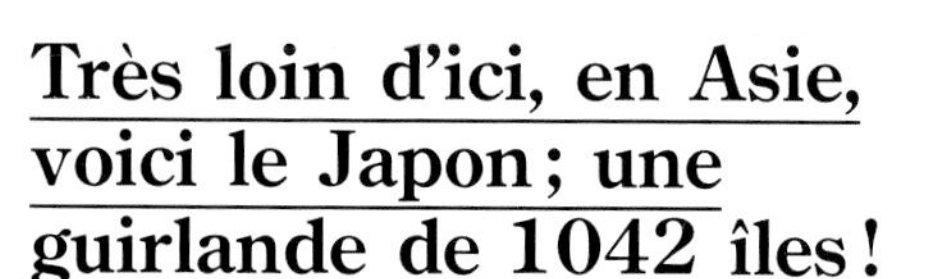

Très loin d'ici, en Asie, voici le Japon ; une guirlande de 1042 îles !

C'est un tout petit pays à côté de ses voisins la Chine et l'U.R.S.S.

Quand tu dors, les Japonais, là-bas, se réveillent.

Nous ne vivons pas à la même heure

La monnaie japonaise est le yen.

qu'eux car une grande distance nous sépare. Depuis Paris, il faut au moins 16 heures d'avion pour aller à Tokyo, la capitale. Aussi, quand il est onze heures du soir en France, il est sept heures du matin au Japon et c'est déjà le lendemain.

Timbre japonais et plaque minéralogique des voitures.

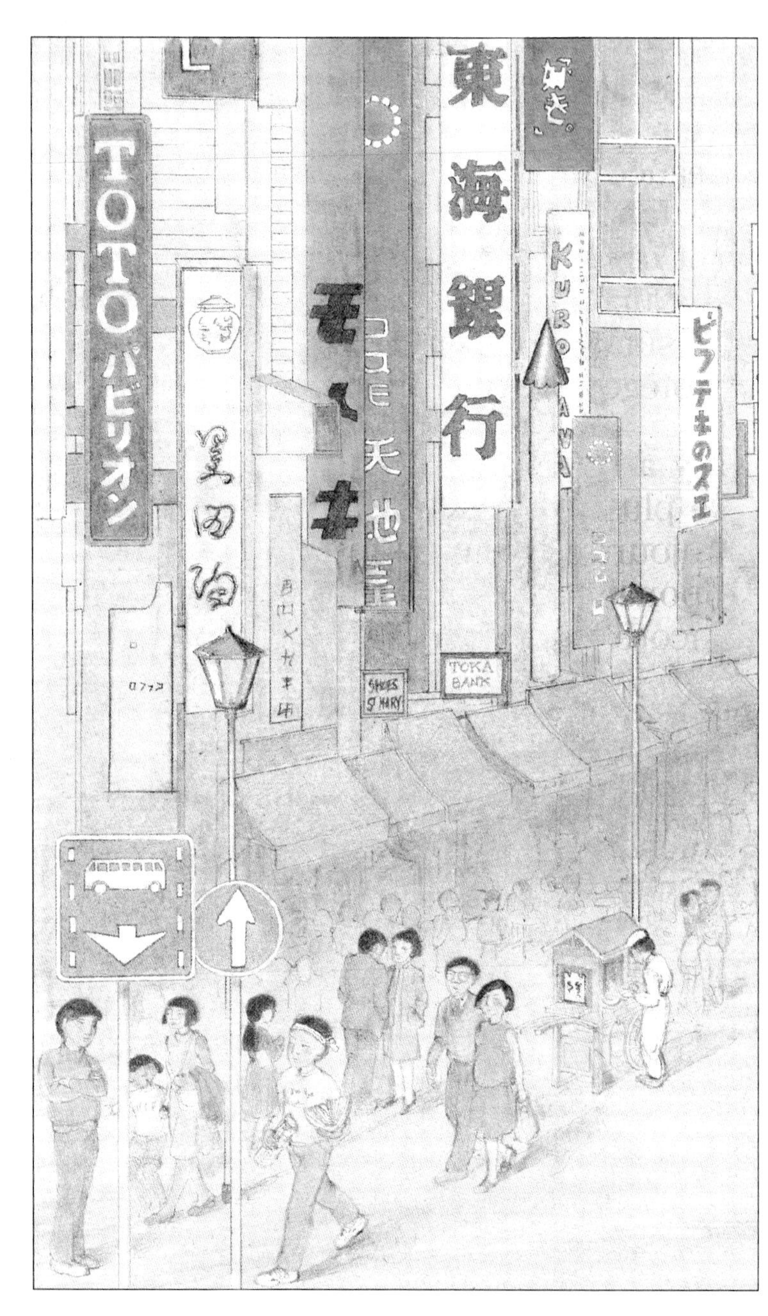

TOTO
パビリオン
東海銀行
ビフテキのスエ
TOKA
BANK

Au Japon, la terre tremble très souvent.
Beaucoup de Japonais ont chez eux un sac de survie et un capuchon qui les protège des chutes d'objets.

Il y a beaucoup de volcans.
Le plus haut est le Fuji-Yama. Aujourd'hui, parmi les 225 volcans japonais, 60 d'entre eux peuvent encore se réveiller.

Tokyo et sa banlieue forment une des plus grandes villes d'Asie.
Les terrasses des immeubles sont aménagées en courts de tennis ou en mini-golfs. Dans le sous-sol, banques, magasins, restaurants... se superposent sur plusieurs étages.

Dans le métro, quand tout le monde s'est entassé, des pousseurs sont chargés de refermer les portes.

Une maison comme autrefois.
Elle est tout en bois et construite sur pilotis pour mieux résister aux secousses. Le jardin ne ressemble pas à un jardin français. Il imite un vrai paysage en plus petit : un bassin où nagent des carpes remplace l'étang, des cailloux forment les rochers,

un tapis de mousse et des massifs
de fougères ou de bambous :
la forêt.
Les arbres les plus précieux sont les
bonzaïs, taillés spécialement pour
vieillir sans grandir.
Certains ont plus de cent ans
et ne mesurent que 20 centimètres
de haut ! Ils ont une grande valeur.

Pourquoi retire-t-on ses chaussures en entrant dans la maison?

Le sol est recouvert de nattes de jonc tressé : les tatamis. Pour ne pas les salir, on marche dessus en chaussettes.

Dans la maison, il n'y a pas de portes

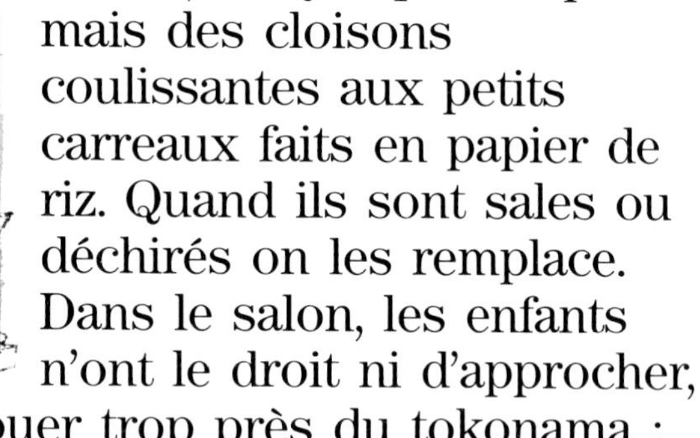

mais des cloisons coulissantes aux petits carreaux faits en papier de riz. Quand ils sont sales ou déchirés on les remplace.

Dans le salon, les enfants n'ont le droit ni d'approcher, ni de jouer trop près du tokonama : une petite alcôve sacrée décorée d'une jolie peinture et d'un bouquet

Autrefois quand on changeait les tatamis, c'était une grande fête dans tout le quartier!

de fleurs soigneusement disposées : l'ikebana. Pour apprendre à le composer, les Japonaises suivent des cours car c'est tout un art !

Comment se passent les repas ?

Les Japonais aiment souvent les prendre autour d'une table basse, agenouillés sur un coussin.

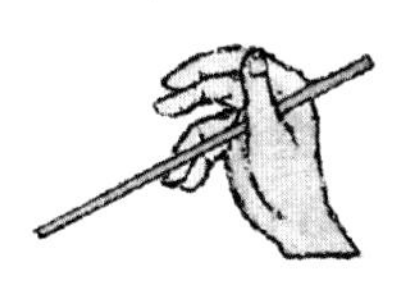

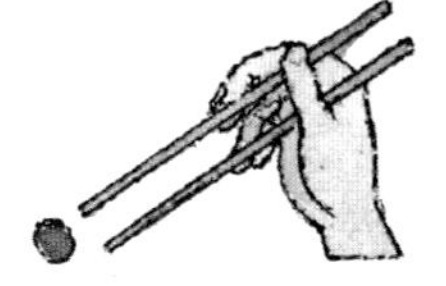

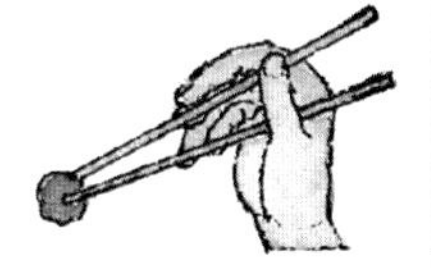

Chacun prend avec ses baguettes, dans l'ordre qu'il veut, les petits dés de légumes, de viande ou de poisson qui accompagnent le riz. Le thé reste toujours chaud dans un thermos.

Chaque matin pour être en forme, les écoliers font un peu de gymnastique.

Les écoliers japonais.

Les livres dans lesquels ils apprennent leur langue sont différents

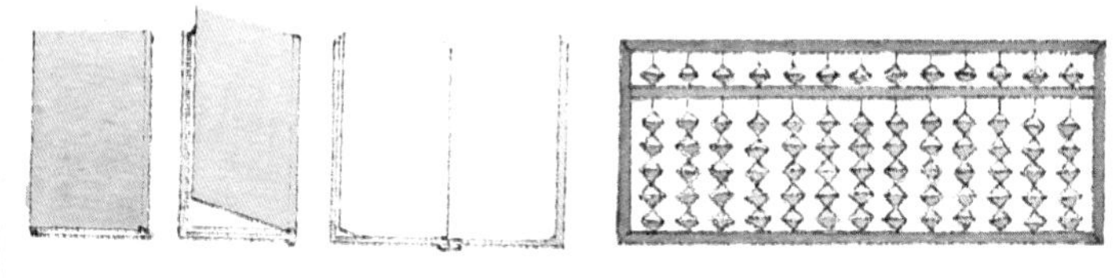

des tiens : la première page pour eux est la dernière pour toi et ils lisent de droite à gauche. Pour le calcul, ils se servent d'un boulier : le soroban.

Ils essayent, en regardant les boules mais sans les toucher, de faire leurs opérations aussi vite qu'avec une machine à calculer. Les petits Japonais s'entraînent aussi à faire des origamis : en pliant une feuille de papier, sans la découper ni la coller, ils

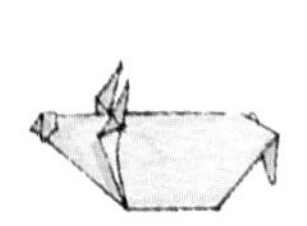

font un oiseau, une grenouille, un cochon... Il faut donc avoir des gestes très précis. Les élèves japonais travaillent beaucoup. Quand la classe se termine, ils restent à l'école pour une leçon de musique ou un match de base-ball. Puis beaucoup d'entre eux se rendent à une autre école suivre des cours supplémentaires pour faire des progrès et prendre de l'avance.

Le base-ball est le sport le plus pratiqué par les adultes et par les enfants japonais.

Les élèves ont beaucoup moins de vacances que toi.

un mois en été, quinze jours en hiver et au printemps. L'année scolaire débute en avril.

Les élèves japonais apprennent de plus en plus leurs leçons sur l'écran d'un ordinateur.

Les caractères sont peints au pinceau à l'encre de Chine.

Comment écrit-on en japonais ?

Non pas avec les 26 lettres de ton alphabet mais avec des petits dessins. Ce sont des caractères qui représentent un mot ou une idée. Il en existe plusieurs centaines de mille, personne ne peut les connaître tous.

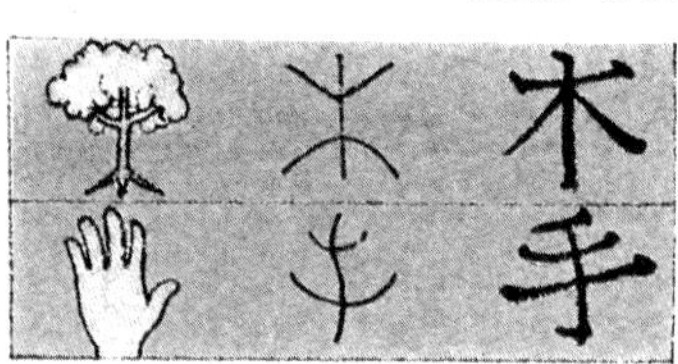

Ki = l'arbre
té = la main

yama = la montagne
hito = un homme

Pour bien lire, il faut apprendre au moins 2000 caractères. Mais pour débuter, les enfants lisent et écrivent avec les Kana qui sont 46 signes très simples. Apprendre notre alphabet leur est aussi utile.

Chaque année, un grand concours de calligraphie donne un prix à l'enfant qui a écrit le plus joliment un poème.

Le bain : un moment de détente.

Les Japonais aiment le prendre très chaud. On en sort tout rouge mais très détendu. À la maison comme au bain public, chacun se savonne et se rince avant d'entrer dans la baignoire ou le bassin afin que l'eau reste propre pour tout le monde.

Le lit se roule et se déroule.

Le fouton, un douillet édredon avec un matelas, est rangé dans un placard pendant la journée. Étendu sur les tatamis, chacun y dort très confortablement !

Quand le fouton est rangé, il y a toute la place que l'on veut pour jouer dans la chambre.

Comment s'habille-t-on les jours de fête?

Avec un kimono de soie ou de coton, serré à la taille par une large ceinture : le obi.
Les garçons nouent leur obi pour la première fois à 5 ans et les filles à 3 ou à 7 ans. Cet événement est l'occasion d'une petite fête en famille.

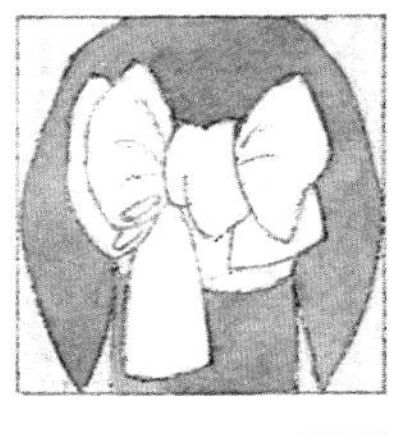

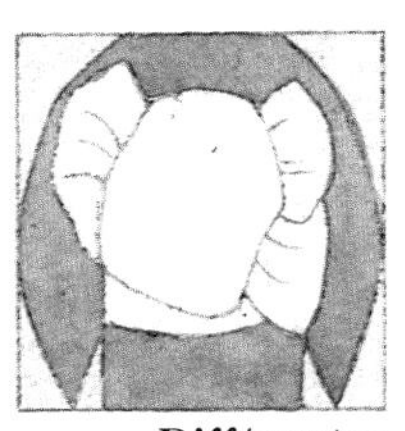

Différentes façons de nouer le obi.

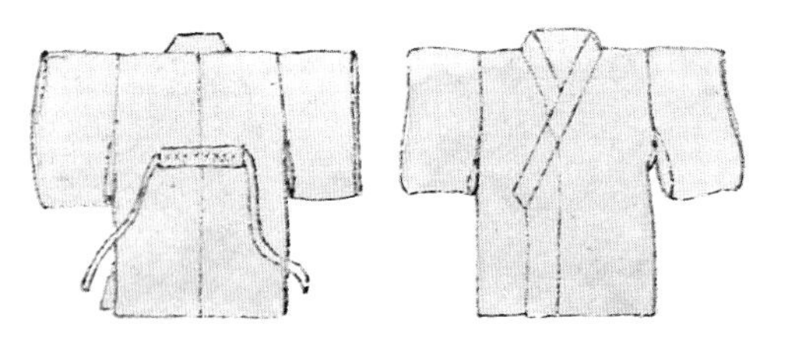

Voici un kimono de jeune garçon. Celui des jeunes filles est à manches longues, celui des femmes mariées, à manches courtes.

En mars : la fête des filles.

Elles exposent des poupées qui ne sont pas des jouets. Elles représentent l'Empereur, l'Impératrice et sa cour.

Avec le kimono, on porte des sandales à semelles de bois avec une lanière pour le pouce : les geta.

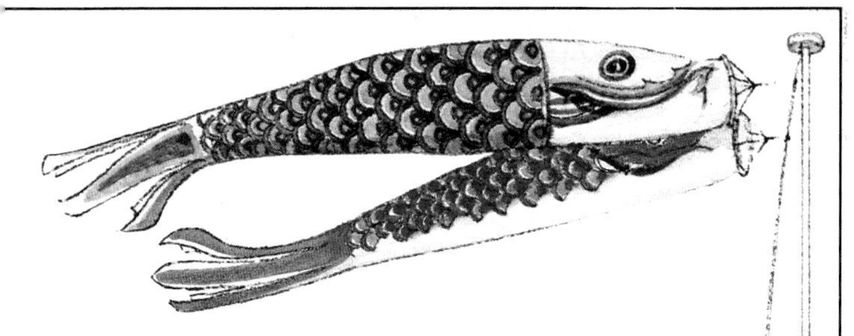

En mai : la fête des garçons.

Dans les jardins, aux balcons, de grandes carpes en tissu flottent au vent et se gonflent d'air. Au Japon, on dit que ces poissons sont très courageux car ils remontent les torrents à contre-courant, en sautant par-dessus les rochers. Toutes les mamans souhaitent que leur fils soit aussi courageux.

Chaque année, les Japonais organisent des combats de cerfs-volants géants.

Les fils qui les retiennent sont coupants comme du verre. Chaque équipe tente de scier les cordes du cerf-volant adverse.

Pour les jeux, les sports, les Japonais aiment nouer un bandeau autour du front en signe de force.

Si le base-ball est le sport le plus populaire, les Japonais pratiquent aussi des sports très anciens :

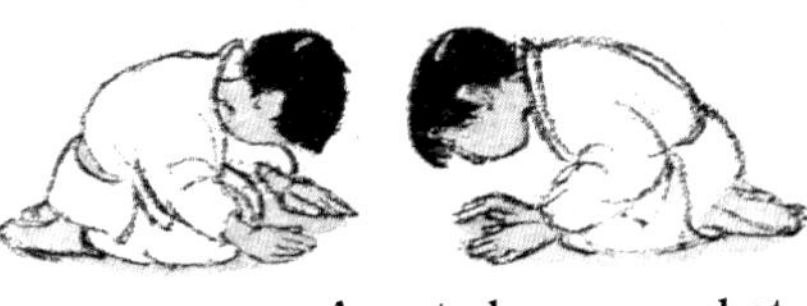

Avant chaque combat, les judokas se saluent.

Le judo : un combat sans arme.

Il faut déséquilibrer l'adversaire et l'immobiliser au sol. Le judo est un sport bon pour le contrôle et la concentration.

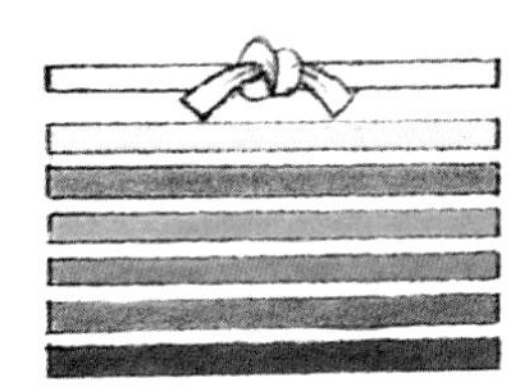

Les judokas débutants sont ceinture blanche, les champions ceinture noire.

Le sumo : une lutte entre deux colosses de 150 kilos chacun !

Les athlètes s'empoignent et tentent de faire sortir l'adversaire hors du cercle. Le combat dure quelques secondes !

Une prise de judo.

Les Samouraï, guerriers du Moyen Age, avaient des méthodes de combat secrètes que l'on nomme aujourd'hui **arts martiaux.**

Le kendo : une sorte d'escrime. Le sabre de jadis est remplacé par un bâton de bambou.

Le kyudo : le tir à l'arc japonais. Il faut beaucoup de concentration pour tendre l'arc et viser la cible.

le karaté : une lutte qui se pratique avec les mains et les pieds en guise d'armes.

Si tu voyageais au Japon, tu traverserais

d'immenses villes mais aussi des forêts de pins, de cèdres ou de bambous et d'immenses rizières.

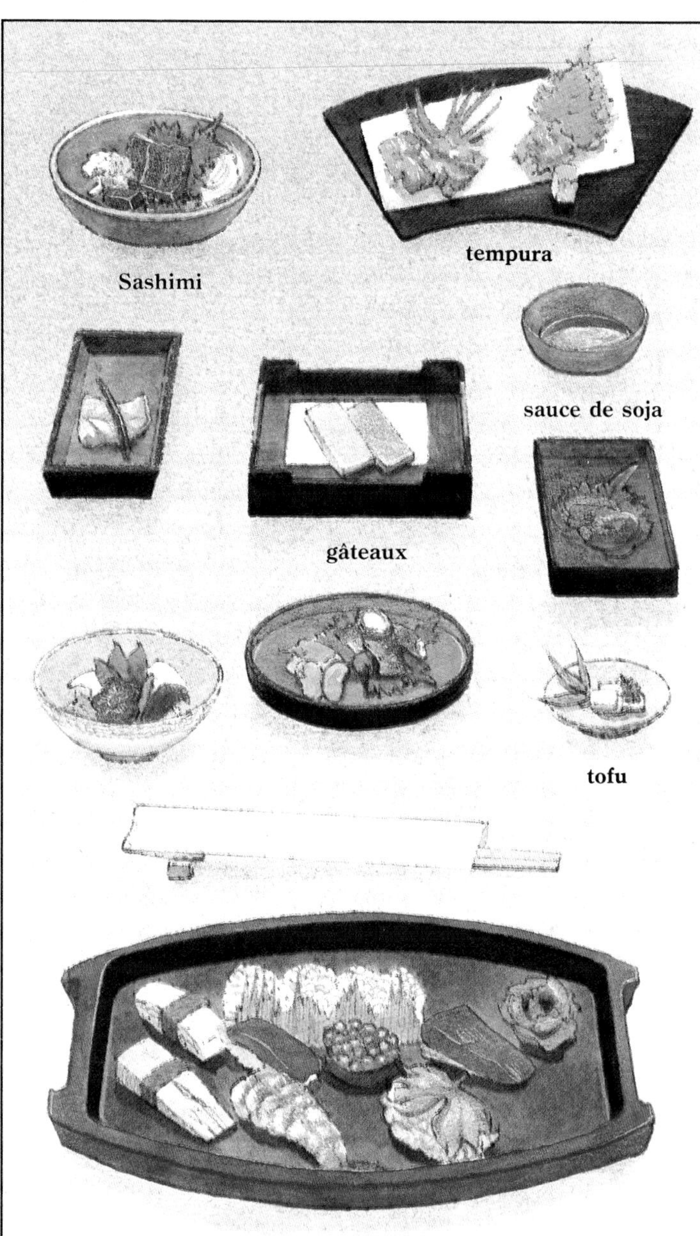
Sashimi
tempura
sauce de soja
gâteaux
tofu
sushi

Le Japon est le pays où l'on mange le plus de poisson .

Trois fois plus qu'en France!
Le long des côtes et sur toutes les mers du monde, les Japonais pêchent des dorades, des turbots, des thons, des brêmes, des crevettes, des seiches... Ils cultivent aussi des algues qu'ils font sécher.
Comme le riz, elles accompagnent les nombreux plats de poissons. Les Japonais aiment manger le poisson cru, découpé en fines lamelles avec de la sauce de soja. Dans les restaurants, les cuisiniers suivent des cours pour apprendre à décorer les plats.

Quand les hommes partent pour de lointaines pêches, leur famille leur lance des serpentins en signe d'au revoir.

Dans les jardins du temple, les Japonais nouent des petits papiers : des horoscopes avec des vœux ou des souhaits écrits dessus.

Au Japon, il y a deux religions : le shintoïsme et le bouddhisme.

Les shintoïstes honorent de nombreux dieux. Voici une procession shinto. La statue du dieu est promenée dans les rues et tous les gens du quartier suivent le cortège au rythme de gros tambours. Les bouddhistes adorent Bouddha, un très grand sage devenu dieu. Comme le veulent ces deux religions, les enfants apprennent à être sages, bons, polis avec les hommes et tout ce qui vit dans la nature.

Statue de Bouddha.

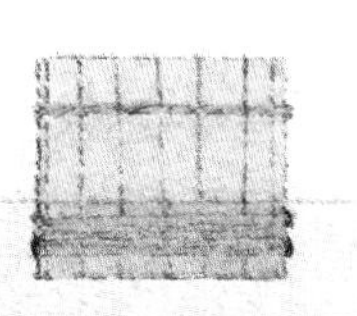

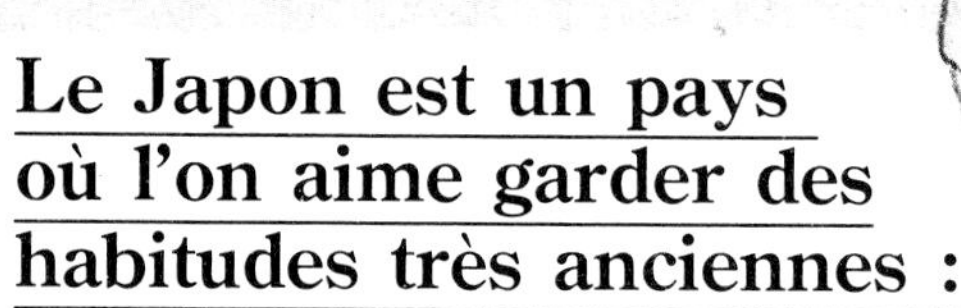

Le Japon est un pays où l'on aime garder des habitudes très anciennes : les traditions. Comme autrefois, les femmes plongent au fond de la mer sans bouteilles d'oxygène et vont chercher des huîtres perlières. Les perles de nacre font de beaux colliers. Comme autrefois aussi, les Japonais revêtent leur plus beau kimono pour inviter leurs amis à la cérémonie du thé.

Cueillette du thé.

Mais c'est aussi un pays très moderne.
Il y a sept chaînes de télévision et les programmes

commencent dès 6 heures du matin. Les héros de tes dessins animés ont souvent été inventés au Japon.

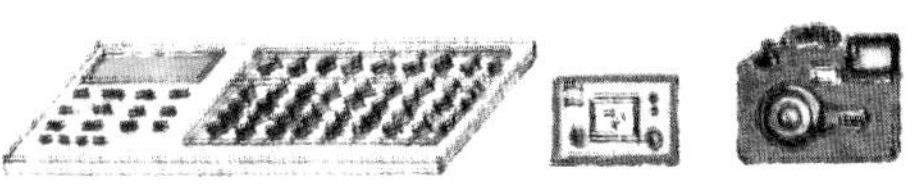

Les Japonais vendent leurs produits industriels dans le monde entier : appareils de photo, magnétoscopes, calculettes, montres...

Dans les usines, les robots remplacent le travail des hommes. Ce sont des sortes d'automates qui font les gestes qu'on leur commande. Ils sont capables d'accomplir des travaux très précis, comme le soudage des tôles

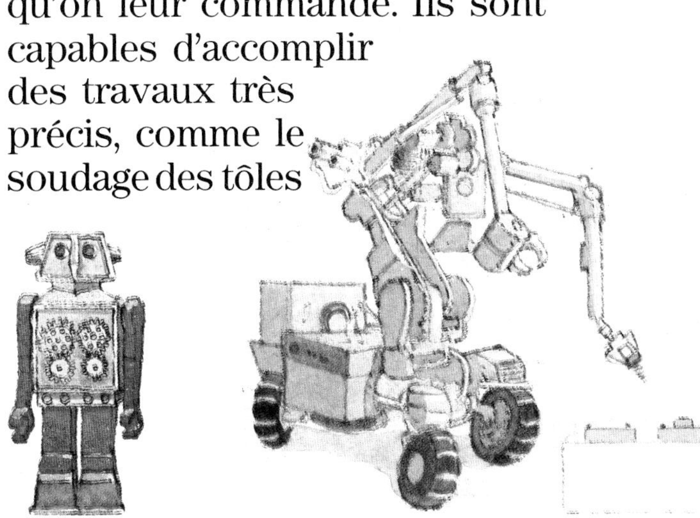

de voitures. En France aussi, il y a des robots mais le Japon est le pays qui en possède le plus !

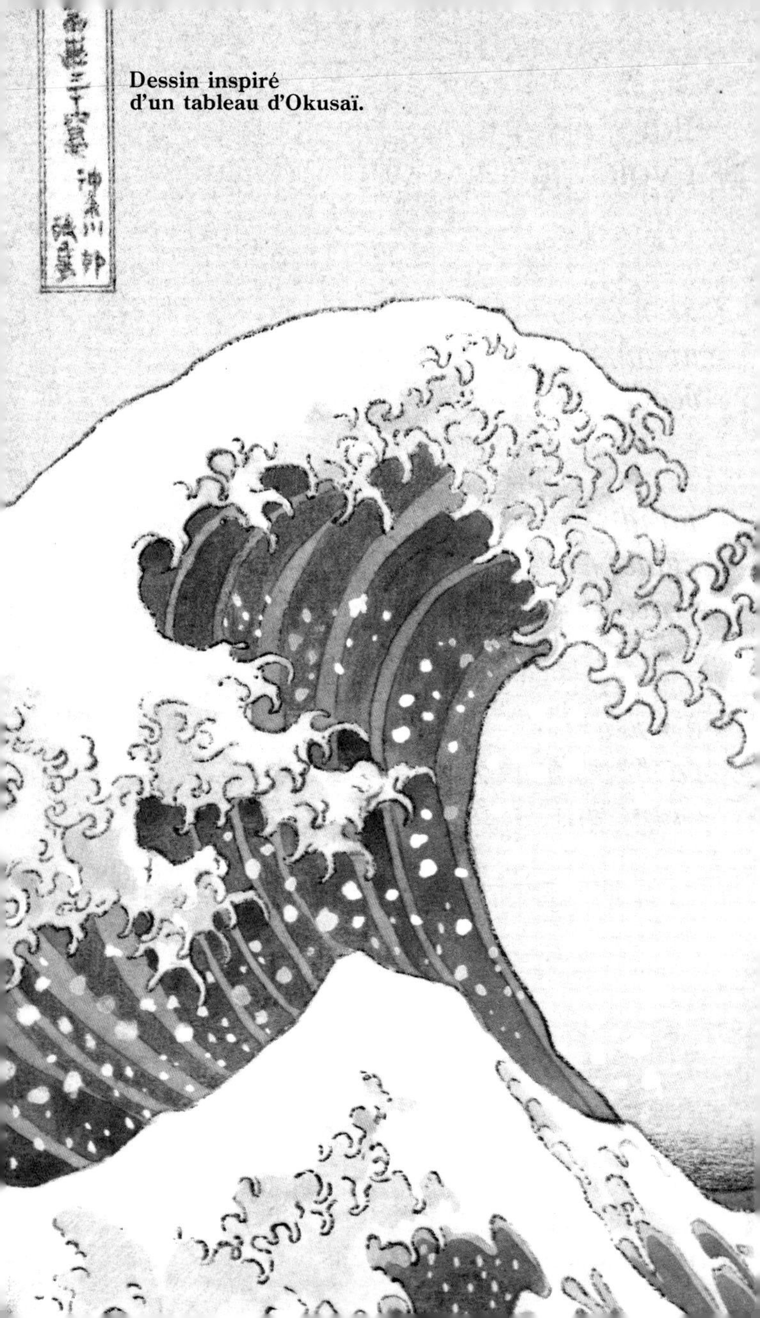

Dessin inspiré
d’un tableau d’Okusaï.

Les poètes japonais aiment écrire des haïku : de courts poèmes en trois vers. En voici quelques-uns très anciens.

Que n'ai-je un pinceau
Qui puisse peindre les fleurs du prunier
Avec leur parfum !

Quand elle fond,
la glace avec l'eau
se raccommode.

Le voleur
m'a tout emporté, sauf
la lune qui était à ma fenêtre

(Miyamori)